Meet big **I** and little **i**.

Trace each letter with your finger and say its name.

I is for

iguana

I is also for

insect

inchworm

ill

itchy

Ii Story

It **i**s a green **i**guana!
Her name **i**s **I**zzy.

4

It is an inchworm.
It is an insect.
They always play with Izzy.

But one day **I**zzy feels **i**ll.
Ick! She **i**s hot and **i**tchy.
Can **I**zzy's pals help?

The inchworm brings a book.
The insect brings a lollipop.
In an instant, Izzy feels better.

Now, **I**zzy the **i**guana can play with the **i**nsect and **i**nchworm. Little pals are **i**ncredible!